Riel, patriote

Louis Riel : Père de la Confédération

Robert Freynet

PLAINES

Tous droits réservés.
Riel, patriote
ISBN : 978-289611-404-7
© 2013 Éditions des Plaines
Texte et illustrations © 2013 Robert Freynet

Les Éditions des Plaines remercient le Conseil des arts du Canada et le Conseil des arts du Manitoba du soutien accordé dans le cadre des subventions globales aux éditeurs et reconnaissent l'aide financière du gouvernement du Canada par l'entremise du Fonds du livre du Canada et du ministère de la Culture, Patrimoine et Tourisme du Manitoba, pour leurs activités d'édition.

Catalogage avant publication de Bibliothèque et Archives Canada
Freynet, Robert, auteur, illustrateur
        Riel, patriote : Louis Riel, père de la confédération / Robert
Freynet.

Publié en formats imprimé (s) et électronique (s).
ISBN 978-2-89611-404-7 (couverture souple).--ISBN 978-2-89611-407-8 (pdf).--ISBN 978-2-89611-405-4 (mobi).--ISBN 978-2-89611-406-1 (epub)

        1. Riel, Louis, 1844-1885--Bandes dessinées. 2. Métis--Provinces des Prairies--Biographies--Bandes dessinées. 3. Bandes dessinées. I. Titre.

FC3217.1.R53F74 2013   971.05'1092   C2013-906139-8
                                                    C2013-906140-1

Dépôt légal 2013 : Bibliothèque et Archives Canada, Bibliothèque nationale du Québec et Bibliothèque provinciale du Manitoba

Illustration de la couverture : Robert Freynet
Conception de la couverture : Relish Design Studio
Mise en page : Christian Freynet-Kuzdub
Éditrice en chef : Joanne Therrien
Révision linguistique : Lynne Therrien, Pierrette Blais
Révision historique : Jean-Marie Taillefer

Éditions des Plaines
C.P. 123 Saint-Boniface (Manitoba) Canada R2H 3B4
Tél. : (204) 235-0078 admin@plaines.mb.ca
www.plaines.ca

À Virginia,

Pour son précieux soutien dans
la création de cette bande dessinée.

REMERCIEMENTS

L'auteur désire remercier les organismes et individus
qui l'ont appuyé durant le processus de création de
Riel, patriote.

La Liberté
L'Union nationale métisse
  Saint-Joseph du Manitoba
Le Conseil des arts du Manitoba
La Société franco-manitobaine
La Division scolaire Louis-Riel
La Division scolaire
  franco-manitobaine
Le Site historique
  Monseigneur-Taché
La Société Saint-Jean-Baptiste de
  Montréal
Le Musée de Saint-Boniface

La sénatrice Maria Chaput
Virginia Ostrowska Freynet
Marcel Massicotte
Michelle Freynet
Louis Balcaen
Sophie Gaulin
Joanne Therrien

Gérard Lécuyer
Louis Bernardin
Mgr Albert Fréchette
Paul-Guy Lavack
Ian MacPherson
Aurèle Boisvert
Aimé Delaquis
Georges Bohémier
Albert Ullmann
Claude Forest

Miguel Vielfaure
Guy Ferraton
Sr Cécile Maurice, s.p.m.
Bonaventure Sévi
Jean-Marie Taillefer
Wilgis Agossa
Barry McPherson
Christian Freynet-Kuzdub
Les enfants de l'auteur

Riel, patriote

AU DÉBUT DES ANNÉES 1880, LES MÉTIS FRANCOPHONES DU DISTRICT DE LA SASKATCHEWAN REVENDIQUENT LEURS DROITS EN PRÉSENTANT DE NOMBREUSES PÉTITIONS. POUR TOUTE RÉPONSE, LE GOUVERNEMENT CANADIEN FAIT LE SOURD ET MUET.

FRUSTRÉS, LES MÉTIS SE RÉVOLTENT.

PAN!

BANG!

AAH!

TOC!

LAC-AUX-CANARDS, LE 26 MARS 1885.

LA POLICE MONTÉE DU NORD-OUEST ET LA MILICE ARRIVENT POUR MATER LA RÉVOLTE.

ELLES RENCONTRENT LA FORCE MÉTISSE.

DES POURPARLERS ÉCLATENT EN COUPS DE FEU.

TARATATA!

< NOUS SOMMES DÉCIMÉS! > *

< SONNEZ LA RETRAITE! >

PAN!

LES MÉTIS VEULENT POURSUIVRE LES HOMMES EN FUITE.

ILS SE SAUVENT!

À L'ATTAQUE!

NON! CESSEZ LE FEU!

ON A DÉJÀ RÉPANDU TROP DE SANG!

UN PERSONNAGE MYSTÉRIEUX ET CHARISMATIQUE INSPIRE LA LOYAUTÉ DES GUERRIERS MÉTIS.

C'EST LUI QUI A FONDÉ, IL Y A QUELQUES ANNÉES, LA PROVINCE DU MANITOBA AU CANADA.

IL SE NOMME LOUIS RIEL.

* LES CHEVRONS < > INDIQUENT LE PARLER EN ANGLAIS.

VINGT-ET-UN ANS PLUS TÔT, LE 17 FÉVRIER 1864, AU COLLÈGE DE MONTRÉAL, PROVINCE DU CANADA, LE JEUNE LOUIS RIEL ÉTUDIE LES MATHÉMATIQUES, LA PHILOSOPHIE, LES LITTÉRATURES FRANÇAISE ET ANGLAISE, LE LATIN ET LE GREC.

TOC TOC!

SOUVENT PREMIER DE CLASSE, CE MÉTIS DE LA LOINTAINE COLONIE DE LA RIVIÈRE-ROUGE SE DISTINGUE PARMI SES COMPAGNONS ISSUS DE L'ÉLITE CANADIENNE-FRANÇAISE DE L'EST.

ENTREZ!

ONCLE JOHN! EUH, BONSOIR...

MAIS... QU'EST-CE QU'IL Y A?

DE MAUVAISES NOUVELLES?

LOUIS... JE... J'AI LE TRISTE DEVOIR DE T'INFORMER...

TON PÈRE EST DÉCÉDÉ LE MOIS DERNIER!

JEAN-LOUIS RIEL EST MORT D'UNE MALADIE MALGRÉ LES BONS SOINS DES SŒURS GRISES À LA RIVIÈRE-ROUGE.

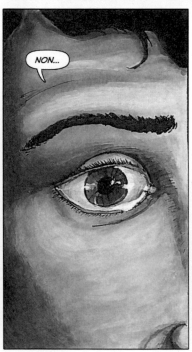

NON...

NON!

DIEU AIT SON ÂME. C'ÉTAIT UN BRAVE HOMME!

LOUIS, JE T'INVITE À VENIR RESTER CHEZ NOUS LE TEMPS QU'IL TE FAUT...

TON PÈRE ÉTAIT UN VÉRITABLE CHEF PARMI LES MÉTIS.

OUI... JE ME SOUVIENS...

...LORSQUE J'AVAIS CINQ ANS À LA RIVIÈRE-ROUGE...

SALUT, LES DEUX LOUIS!

BONJOUR, ANTOINE! QUOI DE NOUVEAU?

LA POLICE A ARRÊTÉ GUILLAUME SAYER!

JE LE SAIS! POUR COMMERCE DE FOURRURES ILLÉGAL.

LE PROCÈS DE GUILLAUME SAYER EST FIXÉ À LA FÊTE DE L'ASCENSION...

... PARCE QUE LES AUTORITÉS VOUDRAIENT QUE LES MÉTIS SOIENT TOUS À LA MESSE PLUTÔT QU'À LA COUR!

LA COMPAGNIE DE LA BAIE D'HUDSON CROIT QU'ELLE PEUT NOUS CONTRÔLER AVEC SON MONOPOLE... NOUS DICTER OÙ ET COMMENT ON PEUT FAIRE NOTRE COMMERCE!

JEAN-LOUIS, IL FAUT FAIRE QUELQUE CHOSE!

HUM... IL FAUDRAIT CONSULTER LES AÎNÉS, ET ON DEMANDERA L'AVIS DU PÈRE BELCOURT.

IL FAUT QUE SAYER SOIT LIBÉRÉ! IL NE DOIT PAS FAIRE DE PRISON POUR AVOIR VOULU FAIRE VIVRE SA FAMILLE!

ET PLUS TARD, À LA COUR, MON PÈRE A GAGNÉ SA CAUSE.

SAYER EST LIBÉRÉ!

LE COMMERCE EST LIBRE!

VIVE LA LIBERTÉ!

LE SOUVENIR DE SON PÈRE LE HANTE.

MON PÈRE VOULAIT QUE JE DEVIENNE PRÊTRE POUR AIDER LES MÉTIS À LA RIVIÈRE-ROUGE.

QUEL EST MON DESTIN?

QU'EST-CE QUE JE DOIS FAIRE POUR AIDER MON PEUPLE DANS L'OUEST?

QUI SUIS-JE?

CLAC!

OÙ VAIS-JE?

ET BIENTÔT, LE 8 MARS 1865...

TOC! TOC!

ENTREZ!

AH! LOUIS RIEL. ENTRE, JEUNE HOMME.

MERCI, MONSIEUR LE RECTEUR.

LOUIS, SI JE T'AI CONVOQUÉ, C'EST QUE JE M'INQUIÈTE À TON PROPOS...

DEPUIS LE DÉCÈS DE TON PÈRE, TES NOTES DE COURS SONT EN NET DÉCLIN...

ET TON MANQUE D'ASSIDUITÉ LAISSE PLANER UN DOUTE SUR TA VOCATION À LA PRÊTRISE.

VOUS AVEZ RAISON, MON PÈRE! J'Y AI RÉFLÉCHI ET JE SAIS MAINTENANT CE QUE JE DOIS FAIRE...

IL FAUT QUE JE QUITTE LES MURS DE CE SÉMINAIRE!

PARDON?

MON DESTIN EST AILLEURS!

ORPHELIN, SEUL, LE JEUNE HOMME EST ASSAILLI D'INCERTITUDES.

HÉ, LOUIS! QUO VADIS?

HEIN?

LOUIS RIEL! SALUT, VIEUX CAMARADE!

AH, JOSEPH!

OÙ VAS-TU COMME ÇA, EN PLEINE TEMPÊTE?

J'SAIS PAS...

ALORS SUIS-MOI. J'AI UNE PLACE OÙ ALLER ET JE TE PROMETS QUE CE N'EST PAS AU SÉMINAIRE!

BIENTÔT...

BONSOIR, MESSIEURS...

AH HA HA!

MARIETTE, JE TE PRÉSENTE LOUIS RIEL, UN ANCIEN COMPAGNON DE CLASSE.

BONSOIR, MADEMOISELLE.

QU'EST-CE QUE LES PATRIOTES AURAIENT PENSÉ DE CETTE UNION ENTRE LE HAUT ET LE BAS-CANADA?

EN FAIT, S'IL Y A CONFÉDÉRATION, L'ANGLAIS VA SÛREMENT PRÉDOMINER.

LES YEUX DE RIEL S'OUVRENT SUR UNE NOUVELLE SOCIÉTÉ À L'ALLURE CHATOYANTE.

ICI ON DISCUTE DE NOUVELLES IDÉES PHILOSOPHIQUES ET POLITIQUES...

ET AUSSI...

LOUIS, JE TE PRÉSENTE MARIE-JULIE GUERNON.

ENCHANTÉ!

PAREILLEMENT!

EN FIN DE SOIRÉE...

ÊTES-VOUS CERTAIN DE POUVOIR M'ACCOMPAGNER JUSQUE CHEZ MOI?

OUI.

JE DEMEURE CHEZ MON ONCLE JOHN LEE QUI HABITE VOTRE QUARTIER DE MONTRÉAL.

BIENTÔT LE JEUNE COUPLE ÉPROUVE UN AMOUR NAISSANT...

MARIE...

LOUIS...

RIEL TROUVE UN EMPLOI COMME CLERC DANS LE BUREAU DE RODOLPHE LAFLAMME, AVOCAT DE TENDANCE POLITIQUE LIBÉRALE.

À MONTRÉAL, LES PERSONNAGES INFLUENTS DE L'ÉPOQUE DÉFILENT DANS SON CABINET.

IL SE FAMILIARISE AVEC LES ROUAGES JURIDIQUES ET POLITIQUES.

RIEL COURTISE MADEMOISELLE MARIE-JULIE GUERNON.

LOUIS, TES POÈMES M'ENCHANTENT!

TU AS VRAIMENT L'ÂME D'UN POÈTE!

CHÉRIE, DEPUIS NOS FIANÇAILLES JE SUIS SANS CESSE INSPIRÉ!

MAIS TU SAIS QUE MON PÈRE N'APPROUVE PAS...

MARIE, NOTRE AMOUR EST VÉRITABLE ET RIEN NE PEUT...

MONSIEUR RIEL!

HEIN?

LÈVE-TOI, JEUNE HOMME! J'AI À TE PARLER.

MONSIEUR GUERNON! JE...

ÉCOUTE-MOI! SI TU PENSES QUE TOI, UN SALE MÉTIS, UN SIMPLE SAUVAGE, POURRAS TE MARIER AVEC MA FILLE, OUBLIE ÇA!

JE TE DÉFENDS DE PARLER À MARIE-JULIE OU DE LA REVOIR!

COMPRIS?

RIEL A TOUT COMPRIS.

LE TEMPS EST VENU DE QUITTER MONTRÉAL.

IL PASSE DEUX ANS À CHICAGO ET À SAINT-PAUL.

IL GAGNE DE L'ARGENT QU'IL ENVOIE À LA RIVIÈRE-ROUGE POUR SOULAGER SA FAMILLE À LA SUITE D'UNE SÉCHERESSE.

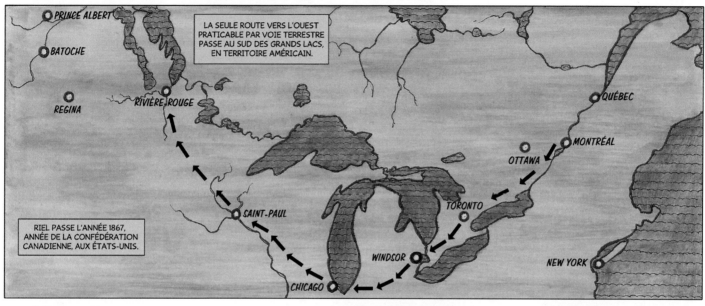

LA SEULE ROUTE VERS L'OUEST PRATICABLE PAR VOIE TERRESTRE PASSE AU SUD DES GRANDS LACS, EN TERRITOIRE AMÉRICAIN.

PRINCE ALBERT

BATOCHE

RÉGINA

RIVIÈRE-ROUGE

QUÉBEC

MONTRÉAL

OTTAWA

TORONTO

WINDSOR

CHICAGO

SAINT-PAUL

NEW YORK

RIEL PASSE L'ANNÉE 1867, ANNÉE DE LA CONFÉDÉRATION CANADIENNE, AUX ÉTATS-UNIS.

ET LE 26 JUILLET 1868...

ENFIN, DE RETOUR CHEZ MOI À LA RIVIÈRE-ROUGE! SAINT-BONIFACE, LE FORT GARRY, TOUT M'EST SI FAMILIER!

POURTANT, JE LE VOIS D'UN ŒIL NOUVEAU APRÈS DIX ANS D'ABSENCE!

Ô MON BEAU LOUIS! QUE TU AS GRANDI!

GRAND-MÈRE MARIE-ANNE SERA CONTENTE DE TE VOIR!

IL RETROUVE SA MÈRE, JULIE (LAGIMODIÈRE) RIEL, ET SES FRÈRES ET SŒURS, À SAINT-VITAL.

SON VOYAGE DE RETOUR ABOUTIT AU TOMBEAU DE SON PÈRE, JEAN-LOUIS RIEL, DANS LE CIMETIÈRE DE LA CATHÉDRALE SAINT-BONIFACE.

13

LOUIS RIEL PARCOURT LES LIEUX DE SON ENFANCE.

SAINT-BONIFACE A BEAUCOUP CHANGÉ!

C'EST ICI QUE MONSEIGNEUR TACHÉ A DONNÉ LE COUP D'ENVOI À MON VOYAGE D'ÉTUDES DANS L'EST.

LE PLUS ÉTONNANT, C'EST COMBIEN LE VILLAGE DE WINNIPEG A GRANDI DE L'AUTRE CÔTÉ DE LA RIVIÈRE!

SALUT, LOUIS!

ELZÉAR GOULET!

HEUREUSEMENT QUE LA RIVIÈRE ROUGE SÉPARE WINNIPEG DE SAINT-BONIFACE!

POURQUOI TU DIS ÇA?

LES CANADIANS, DES ANGLAIS ORANGISTES, SONT INSTALLÉS LÀ-BAS, À WINNIPEG. ILS NOUS HAÏSSENT, NOUS, LES MÉTIS FRANCOPHONES ET CATHOLIQUES.

ET POURTANT LES MÉTIS SONT PLUS NOMBREUX!

POUR L'INSTANT... MAIS LES MÉTIS PERDENT DU TERRAIN. LE BISON DISPARAIT DE LA GRANDE PLAINE. NOTRE MODE DE VIE CHANGE, LOUIS. LES IMMIGRANTS ANGLOPHONES ET PROTESTANTS ARRIVENT NOMBREUX DE L'ONTARIO ET DES ÉTATS-UNIS.

LE CANADA VEUT ACHETER CES TERRITOIRES À LA COMPAGNIE DE LA BAIE D'HUDSON. ON EN PRÉPARE DÉJÀ L'ACQUISITION!

MÊME SUR NOS PROPRES TERRAINS NOUS NOUS SENTONS MENACÉS PAR LES ARPENTEURS ET LES SPÉCULATEURS ARRIVÉS DE L'ONTARIO. ILS SONT TRÈS ARROGANTS!

LE NOUVEAU CHEMIN DAWSON EST MAINTENANT CONSTRUIT JUSQU'À SAINTE-ANNE-DES-CHÊNES. ÇA AMÈNERA BIENTÔT ENCORE PLUS D'IMMIGRANTS DE L'EST, ET SURTOUT DES ORANGISTES, COMME CEUX QUI SONT À WINNIPEG!

LES MÉTIS DOIVENT S'AFFIRMER OU DISPARAITRE!

LE 11 OCTOBRE 1869.

VOUS N'AVEZ PAS LE DROIT D'ÊTRE ICI!!

QUITTEZ!

SORRY, WE DON'T UNDERSTAND FRENCH.

LOUIS! VIENS VITE! Y'A DES ANGLAIS SUR LA TERRE DE MARION!

TU PARLES ANGLAIS, TOI! DIS-LEUR DE QUITTER!

IL FAUT AVERTIR LES VOISINS!

ANDRÉ NAULT, RIEL ET 16 AUTRES CAVALIERS MÉTIS VONT À LA RENCONTRE DES ARPENTEURS À SAINT-VITAL.

LES ARPENTEURS EMPIÈTENT PARTOUT!

IL Y A QUELQUES JOURS, J'AI DÛ ME RENDRE À SAINTE-ANNE POUR AIDER À EXPULSER CES INTRUS.

JANVIER, POSE TON PIED SUR LEUR CHAINE!

FOUMP!

YOUR SURVEY SHALL GO NO FURTHER! THIS IS MÉTIS LAND!

OH... OK, FINE. WE'RE JUST FOLLOWING ORDERS.

OTTAWA DÉSIGNE WILLIAM MCDOUGALL COMME LIEUTENANT-GOUVERNEUR DU NORD-OUEST, EN PRÉVOYANT L'ACHAT DE CES TERRES DE LA COMPAGNIE DE LA BAIE D'HUDSON.

IL ARRIVE EN TRAIN À SAINT-CLOUD AUX ÉTATS-UNIS ET CONTINUE VERS LE NORD AVEC 60 WAGONS CHARGÉS DE BAGAGES.

ELZÉAR LAGIMODIÈRE AIDE À CHARGER LES WAGONS DE MCDOUGALL ET DÉCOUVRE UNE CARGAISON D'ARMES.

LAGIMODIÈRE RETOURNE À LA RIVIÈRE-ROUGE EN TOUTE HÂTE...

LOUIS, J'AI VU 350 CARABINES ET BEAUCOUP DE MUNITIONS DANS LES BAGAGES DE MCDOUGALL...

S'IL LES DISTRIBUE AUX ORANGISTES ICI, CE SERA LA GUERRE CONTRE LES MÉTIS!

IL FAUT FAIRE QUELQUE CHOSE!

LE 16 OCTOBRE 1869 AU PRESBYTÈRE DE SAINT-NORBERT...

C'EST DÉCIDÉ! NOUS FORMONS AUJOURD'HUI LE COMITÉ NATIONAL DES MÉTIS DE LA RIVIÈRE-ROUGE.

JOHN BRUCE EST ÉLU PRÉSIDENT ET LOUIS RIEL, SECRÉTAIRE.

L'ABBÉ NOËL-JOSEPH RITCHOT SERA NOTRE CONSEILLER.

ET BIENTÔT, AU FORT PEMBINA, À LA FRONTIÈRE AMÉRICAINE...

< CES SAUVAGES OSENT M'INTERDIRE L'ACCÈS À LA COLONIE DE LA RIVIÈRE-ROUGE... >

< MOI, WILLIAM MCDOUGALL, LEUR FUTUR LIEUTENANT-GOUVERNEUR! >

MCDOUGALL ENVOIE DEUX ÉMISSAIRES À SAINT-NORBERT.

< ENLEVEZ-MOI CETTE SACRÉE BARRIÈRE! >

VOUS N'ALLEZ PAS PLUS LOIN!

... ET VOUS ALLEZ REBROUSSER CHEMIN JUSQU'À LA FRONTIÈRE AMÉRICAINE, SOUS ESCORTE MILITAIRE!

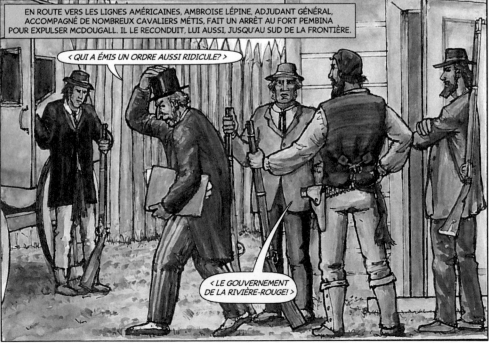

EN ROUTE VERS LES LIGNES AMÉRICAINES, AMBROISE LÉPINE, ADJUDANT GÉNÉRAL, ACCOMPAGNÉ DE NOMBREUX CAVALIERS MÉTIS, FAIT UN ARRÊT AU FORT PEMBINA POUR EXPULSER MCDOUGALL. IL LE RECONDUIT, LUI AUSSI, JUSQU'AU SUD DE LA FRONTIÈRE.

< QUI A ÉMIS UN ORDRE AUSSI RIDICULE? >

< LE GOUVERNEMENT DE LA RIVIÈRE-ROUGE! >

CHEZ JOHN SCHULTZ À WINNIPEG...

< LES MÉTIS ONT EMPÊCHÉ LE LIEUTENANT-GOUVERNEUR MCDOUGALL D'ENTRER À LA RIVIÈRE-ROUGE! >

< QUEL SCANDALE! >

< ON SE MOQUE DU CANADA! >

< ON DOIT SAISIR LE FORT GARRY POUR MAITRISER LA SITUATION! >

PENDANT CE TEMPS, À SAINT-NORBERT...

LES CANADIANS SONT MÉCONTENTS, LOUIS.

ILS VONT SUREMENT S'EMPARER DU FORT GARRY!

À MOINS QUE NOUS LE FASSIONS AVANT EUX!

PARDON?

ALLONS-Y!

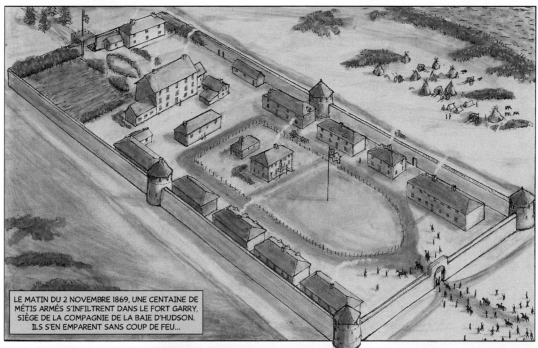

LE MATIN DU 2 NOVEMBRE 1869, UNE CENTAINE DE MÉTIS ARMÉS S'INFILTRENT DANS LE FORT GARRY, SIÈGE DE LA COMPAGNIE DE LA BAIE D'HUDSON. ILS S'EN EMPARENT SANS COUP DE FEU...

< LES CLÉS DU FORT, S'IL VOUS PLAIT! >

< COMMENT? >

< VOUS SEREZ REMBOURSÉS POUR TOUTES LES PROVISIONS DONT NOUS NOUS SERVIRONS. >

< MONSIEUR RIEL, QUELLES SONT VOS INTENTIONS EN SAISISSANT CE FORT? >

< MONSIEUR LE GOUVERNEUR MACTAVISH, NOUS, LES MÉTIS, NE FAISONS QUE PROTÉGER LE FORT, POUR LE BIEN DE TOUTE LA COMMUNAUTÉ. >

< PFFF!... EN FAIT, VOUS AVEZ AGI JUSTE À TEMPS... SINON, C'EST SCHULTZ ET LES CANADIANS QUI L'AURAIENT SAISI! >

ET BIENTÔT...

< QUE DIT L'AFFICHE? >

< LOUIS RIEL CONVOQUE UNE RÉUNION SUR LA STRATÉGIE POLITIQUE À ADOPTER À LA RIVIÈRE-ROUGE. >

< LE COMITÉ NATIONAL DES MÉTIS INVITE CHAQUE VILLAGE À ENVOYER SON DÉLÉGUÉ. >

< ÇA VEUT DIRE 12 REPRÉSENTANTS ANGLAIS ET 12 REPRÉSENTANTS FRANÇAIS. >

< DIS, SCHULTZ, T'AS VU? LES MÉTIS ONT SAISI LE FORT GARRY, ET RIEL CONVOQUE UNE RÉUNION! >

< J'AI VU... CE NE SONT PAS DES DÉLÉGUÉS QUE NOUS DEVONS ENVOYER, MAIS DES HOMMES ARMÉS POUR NOUS DÉBARRASSER DES MÉTIS! >

TOUJOURS À LA FRONTIÈRE AMÉRICAINE, LE LIEUTENANT-GOUVERNEUR MCDOUGALL ATTEND LE DOCUMENT OFFICIEL D'OTTAWA SUR L'ANNEXION DU NORD-OUEST AU CANADA.

< MAIS OÙ DIABLE EST CETTE PROCLAMATION ROYALE QUI DOIT ARRIVER D'OTTAWA? >

< IL ME LA FAUT AVANT LE 1er DÉCEMBRE, DATE DU TRANSFERT OFFICIEL DES TERRITOIRES! >

MAIS IL NE SAIT PAS QUE LE GOUVERNEMENT CANADIEN A DÉCIDÉ DE RETARDER LE TRANSFERT, À CAUSE DU CONFLIT À LA RIVIÈRE-ROUGE...

< HUM... PAS DE DOCUMENT... >

< PAS DE PROBLÈME! J'ÉCRIRAI MOI-MÊME CETTE PROCLAMATION ROYALE!... ET JE VAIS CONTREFAIRE LA SIGNATURE DE LA REINE! >

< HÉ! HÉ! BIENTÔT JE SERAI ROI DU NORD-OUEST! >

IL EST MINUIT, LE 1er DÉCEMBRE 1869...

< VOILÀ QUE NOUS ARRIVONS À LA FRONTIÈRE. JE PRENDRAI POSSESSION DES TERRITOIRES DU NORD-OUEST POUR LE GOUVERNEMENT CANADIEN! >

< AU NOM DE LA REINE VICTORIA... >

MAIS LE VENT HURLANT EST SOURD... ET LA NUIT AVEUGLE...

< BRRR... DÉPÊCHEZ-VOUS, QU'ON PUISSE S'EN RETOURNER AU PLUS VITE! >

QUELQUES JOURS PLUS TARD, AU FORT GARRY...

LOUIS! ON VIENT DE PUBLIER DANS LE JOURNAL UNE PROCLAMATION ROYALE :

LE CANADA VIENT D'ACQUÉRIR LA RIVIÈRE-ROUGE DE LA COMPAGNIE DE LA BAIE D'HUDSON!

... ET LE TITRE DE LIEUTENANT-GOUVERNEUR EST ACCORDÉ À WILLIAM MCDOUGALL...

... DE QUI NOUS VIENT CE COMMUNIQUÉ... HUM...

COMMENT? VOUS NE CROYEZ PAS QUE CE SOIT AUTHENTIQUE?

MACTAVISH, GOUVERNEUR DE LA COMPAGNIE DE LA BAIE D'HUDSON, LUI, Y CROIT...

< VOICI, TEL QUE VOUS L'AVEZ DEMANDÉ, NOTRE DOCUMENT D'ABDICATION. DÉSORMAIS, LA COMPAGNIE DE LA BAIE D'HUDSON RENONCE AU CONTRÔLE DE LA COLONIE. >

< OUI, BIEN SÛR... ... PUISQUE LE CANADA EN A DÉJÀ FAIT L'ACQUISITION! >

< JE SIGNE ICI? > MAIS EN FAIT, LE CANADA AVAIT DÉCIDÉ DE RETARDER LE TRANSFERT.

UN VIDE POLITIQUE EN RÉSULTE.

DONC, SELON LES LOIS INTERNATIONALES EN USAGE...

LE GOUVERNEMENT PROVISOIRE DE RIEL DEVIENT LE SEUL GOUVERNEMENT LÉGITIME À LA RIVIÈRE-ROUGE.

MAIS À PEMBINA...

< COLONEL DENNIS, JE VOUS NOMME LIEUTENANT. >

< ... ET JE VOUS MANDATE POUR RENVERSER LE GOUVERNEMENT MÉTIS DE RIEL À LA RIVIÈRE-ROUGE AFIN DE PRÉPARER MON ARRIVÉE! >

< OUI, VOTRE EXCELLENCE MCDOUGALL! >

LES 24 REPRÉSENTANTS ANGLAIS ET FRANÇAIS DE LA COLONIE TIENNENT PLUSIEURS RÉUNIONS, PRÉSIDÉES PAR RIEL, AU FORT GARRY.

< ON VEUT CRÉER UN GOUVERNEMENT PROVISOIRE REPRÉSENTATIF POUR PROTÉGER NOS INTÉRÊTS ET POUR NÉGOCIER AVEC LE CANADA. >

< LE GOUVERNEMENT SERA FRANÇAIS ET ANGLAIS À PARTS ÉGALES, ET SERA SEULEMENT PROVISOIRE. >

< MAIS EN AVONS-NOUS LE DROIT? >

< C'EST RADICAL! >

< ON A TOUS LU DANS LE JOURNAL LA PROCLAMATION DÉCLARANT QUE LA RIVIÈRE-ROUGE EST DÉSORMAIS ANNEXÉE AU CANADA. >

< ON EST DONC OBLIGÉS DE LAISSER VENIR LE LIEUTENANT-GOUVERNEUR MCDOUGALL! >

< NÉGOCIONS D'ABORD LES CONDITIONS DE NOTRE ADHÉSION AU CANADA, POUR PROTÉGER NOS INTÉRÊTS... >

< JE VOUS PROPOSE ICI UNE LISTE DES DROITS... >

LE DOCUMENT RÉDIGÉ PAR RIEL ET SES CONSEILLERS EST BIEN PRÉPARÉ ET JUSTE...

< TOUS EN FAVEUR DE CETTE LISTE DES DROITS? >

< ADOPTÉE... À L'UNANIMITÉ! >

< SI MCDOUGALL N'A PAS LE POUVOIR DE NOUS GARANTIR CES DROITS... >

< ... IL NE PEUT PAS SE PRÉSENTER ICI COMME LIEUTENANT-GOUVERNEUR! >

< MONSIEUR RIEL, NOUS DEVONS INSISTER... >

< IL FAUT PERMETTRE AU LIEUTENANT-GOUVERNEUR DE VENIR TOUT DE SUITE! >

< SANS VEILLER À NOS INTÉRÊTS D'ABORD? ALLEZ, RETOURNEZ CHEZ VOUS ET NE FAITES RIEN! MAIS REGARDEZ-NOUS AGIR EN FAVEUR DE NOS DROITS... ET DES VÔTRES! >

ROME. CONCILE VATICAN I, 1869.

AH! MONSEIGNEUR ALEXANDRE TACHÉ, ÉVÊQUE DE SAINT-BONIFACE, VOUS VOILÀ ENFIN!

EUH... OUI?

J'AI POUR VOUS UN MESSAGE URGENT DU GOUVERNEMENT CANADIEN!

LE PREMIER MINISTRE DU CANADA, SIR JOHN A. MACDONALD, ME PRIE DE RETOURNER AU PAYS DE TOUTE URGENCE... DES PROBLÈMES À LA RIVIÈRE-ROUGE...

LES EAUX DE LA RIVIÈRE-ROUGE SONT TROUBLÉES. UNE CINQUANTAINE DE REBELLES SE SONT BARRICADÉS DANS LE MAGASIN DE SCHULTZ À WINNIPEG, PRÈS DU FORT GARRY.

PLUSIEURS SONT VENUS DE PORTAGE-LA-PRAIRIE.

ET BIENTÔT, AU FORT...

IL FAUT EMPÊCHER L'ATTAQUE QUE PLANIFIENT LES ORANGISTES DE SCHULTZ...

... ET PRÉPARER LE FORT CONTRE LES HOMMES DE SON ALLIÉ, LE COLONEL DENNIS, AU NORD!

< VOUS AVEZ 15 MINUTES POUR VOUS RENDRE! >

< QU'EST-CE QU'ON FAIT, SCHULTZ? >

< LES MÉTIS ONT 300 CARABINES ET 2 CANONS POINTÉS VERS NOUS! >

< ... MAIS DIS QUELQUE CHOSE! >

20

LES MÉTIS DÉSARMENT SCHULTZ ET 47 AUTRES HOMMES, ET LES EMPRISONNENT AU FORT GARRY.

LE LENDEMAIN, 8 DÉCEMBRE 1869, LES MÉTIS PROCLAMENT UN GOUVERNEMENT PROVISOIRE POUR LE NORD-OUEST.

DE GRANDES CÉLÉBRATIONS MARQUENT L'OCCASION.

PAN-PAN!

BIENTÔT, RIEL REMPLACE JOHN BRUCE À LA PRÉSIDENCE.

SES ALLIÉS ÉTANT VAINCUS, LE COLONEL DENNIS RETOURNE À PEMBINA.

< VOTRE EXCELLENCE MCDOUGALL, C'EST BIEN MOI... >

< ... VOUS? COLONEL DENNIS! >

< MON LIEUTENANT QUI REVIENT DÉGUISÉ EN VIEILLE MÉTISSE? >

< NOUS SOMMES IMPUISSANTS CONTRE RIEL ET SES MÉTIS! >

< ... ET MES HOMMES SE SONT DISPERSÉS. >

MCDOUGALL, FRUSTRÉ, RETOURNE À OTTAWA, AYANT FINALEMENT APPRIS QUE LE TRANSFERT DES TERRITOIRES N'A PAS EU LIEU...

< JAMAIS JE N'AI ÉTÉ AUSSI HUMILIÉ! >

< RIEL LE PAIERA CHER! >

OTTAWA ENVOIE ENSUITE UN DÉLÉGUÉ EXTRAORDINAIRE À LA RIVIÈRE-ROUGE.

< MONSIEUR DONALD SMITH, QUELLE EST VOTRE MISSION? >

< MONSIEUR RIEL, AU NOM DU GOUVERNEMENT CANADIEN, J'AURAIS DES CHOSES À DISCUTER AVEC VOUS. >

< AUSSI, EN TANT QUE CHEF DE LA COMPAGNIE DE LA BAIE D'HUDSON, JE VIENS AIDER LE GOUVERNEUR MACTAVISH QUI S'AFFAIBLIT À CAUSE D'UNE TUBERCULOSE. >

< TRÈS BIEN. JE VAIS VOUS PERMETTRE DE RESTER ICI, SI VOUS PROMETTEZ DE NE RIEN FAIRE POUR MINER L'AUTORITÉ DU GOUVERNEMENT PROVISOIRE. >

< PROMIS. >

À CETTE ASSEMBLÉE, UNE DEUXIÈME LISTE DES DROITS EST ADOPTÉE UNANIMEMENT. LOUIS RIEL EST ENCORE ÉLU PRÉSIDENT.

MESSIEURS, AUJOURD'HUI, LE 10 FÉVRIER 1870, NOUS PROCLAMONS L'ÉTABLISSEMENT DU NOUVEAU GOUVERNEMENT PROVISOIRE!

AFIN DE REPRÉSENTER TOUTE LA COMMUNAUTÉ DE LA RIVIÈRE-ROUGE, NOUS AVONS 20 DÉLÉGUÉS FRANÇAIS ET 20 DÉLÉGUÉS ANGLAIS...

NOTRE MISSION EST DE NOUS ASSURER QUE LA RIVIÈRE-ROUGE SE JOINT AU CANADA, NON COMME SIMPLE COLONIE, MAIS COMME PROVINCE!

LES CÉLÉBRATIONS S'ENSUIVENT. DES PRISONNIERS SONT LIBÉRÉS.

BIENTÔT ARRIVE UN « JOURNALISTE » DE PARIS...

PSST! VOUS, LES GARDES! CELUI-LÀ, C'EST UN ESPION!

VOUS CROYEZ?

ON SOUPÇONNE L'ÉTRANGER D'ÊTRE UN AGENT SECRET POUR LA FRANCE.

MONSIEUR LE PRÉSIDENT VEUT VOUS VOIR.

TRÈS BIEN.

M. LE PRÉSIDENT RIEL, À VOS ORDRES!

VOTRE NOM?

CAPITAINE NORBERT GAY DE L'ARMÉE DU 2e EMPIRE...

ET COLONEL DE LA CAVALERIE FRANÇAISE.

ET VOTRE MISSION?

D'ENQUÊTER SUR LA SITUATION À LA RIVIÈRE-ROUGE...

... CAR L'EMPEREUR NAPOLÉON III RÊVE DE FAIRE REVIVRE LA NOUVELLE-FRANCE ICI DANS L'OUEST!

HUM... INTÉRESSANT!

AVEZ-VOUS DIT QUE VOUS ÊTES DE LA CAVALERIE FRANÇAISE?

OUI, MONSIEUR... COLONEL.

ET VOUS PASSEZ VOTRE TEMPS À LANGUIR EN PRISON?

RIEL PROFITE DES TALENTS DU COLONEL AUX FINS DE L'ENTRAINEMENT DE LA CAVALERIE MÉTISSE.

CHASSEURS DES GRANDES PLAINES! VOTRE BRAVOURE DOIT ÊTRE TEMPÉRÉE PAR LA DISCIPLINE!

ON PRATIQUE À LA RIVIÈRE-ROUGE LES TOUTES DERNIÈRES TECHNIQUES MILITAIRES EUROPÉENNES!

OTTAWA, LE 10 FÉVRIER 1870, AU CABINET DU PREMIER MINISTRE DU CANADA...

< MONSEIGNEUR TACHÉ, MERCI D'ÊTRE REVENU DE ROME SI VITE... VOTRE PRÉSENCE EST REQUISE À LA RIVIÈRE-ROUGE POUR CALMER LES ESPRITS! >

< MONSIEUR MACDONALD, IL EST CLAIR QUE MES OUAILLES VEULENT NÉGOCIER LEURS DROITS... >

< OUI, BIEN SÛR! QU'ON NOUS ENVOIE DES DÉLÉGUÉS! >

< ET UNE AMNISTIE?... >

< ... GARANTISSEZ-VOUS UN PARDON POUR LES MEMBRES DU GOUVERNEMENT PROVISOIRE? >

< PROMIS. >

DIIING!

PENDANT CE TEMPS, AU NORD DE WINNIPEG, À KILDONAN...

UNE ARMÉE D'INSURGÉS ANGLAIS ACCUSE UN PASSANT, LE SIMPLET NORBERT PARISIEN, D'ÊTRE UN ESPION MÉTIS.

SOUDAIN...

< HÉ! >

< SALE ESPION! REVIENS ICI! >

PAF!

TOF!

AU MÊME MOMENT ARRIVE UN MESSAGER.

< CESSEZ LES HOSTILITÉS! >

CATACLOP!

CATACLOP!

PARISIEN CROIT QUE LE MESSAGER LE POURSUIT.

CATACLOP!

CATACLOP!

HEIN? NON!

< RIEL A LIBÉRÉ LES PRISONNIERS! CESSEZ LES... OUF! >

CATACLOP CATACLOP

PAN!

LAISSEZ-MOI TRANQUILLE!

< SAUVAGE! >

< T'AS TUÉ SUTHERLAND! TU LE PAIERAS CHER! >

AÏE!

UNE FOULE TOMBE SUR PARISIEN ET LE BAT SANS PITIÉ.

CHLAC!

CHLAC!

CHLAC!

THOMAS SCOTT, À SON TOUR, LE FRAPPE À LA TÊTE À COUPS DE HACHETTE. PARISIEN SUCCOMBE PLUS TARD À SES BLESSURES.

LE 18 FÉVRIER 1870, 48 DES INSURGÉS ANGLAIS SE METTENT EN ROUTE POUR RENTRER CHEZ EUX À PORTAGE-LA-PRAIRIE. EN SIGNE DE MÉPRIS POUR LE GOUVERNEMENT PROVISOIRE, CES HOMMES DÉCIDENT DE PASSER TOUT PRÈS DU FORT GARRY, MAIS LA NEIGE EST TRÈS CREUSE.

DES CAVALIERS MÉTIS SORTENT DU FORT ET LES INTERCEPTENT.

‹ LE PRÉSIDENT RIEL VOUS INVITE À SOUPER AU FORT! ›

‹ NOUS SOMMES AFFAMÉS... NOUS ACCEPTONS! ›

AINSI LA BANDE DE RÉVOLTÉS SE LAISSE CONDUIRE DANS LES PRISONS DU FORT!

JOHN SCHULTZ, ENNEMI JURÉ DES MÉTIS, EST EMPRISONNÉ AU FORT GARRY DEPUIS JANVIER DE LA MÊME ANNÉE.

‹ COMMENT POURRAIS-JE M'ÉVADER? ›

QUELQUES JOURS PLUS TARD...

‹ MERCI D'OUVRIR, MONSIEUR. MON MARI ADORE LA CROUSTADE AUX POMMES! ›

PLUS TARD...

‹ HÉ HÉ! MERCI, DOUCE ÉPOUSE, D'AVOIR CACHÉ DANS CE DESSERT LE CANIF QU'IL ME FAUT! ›

‹ JE PEUX DONC COUPER EN LANIÈRES CETTE COUVERTURE DE BISON ET TRESSER UNE CORDE. ›

BIENTÔT...

IIAARR...

SOUDAIN...

CRAAK!

AAAH!

OUF!

POF!

25

SCHULTZ RÉUSSIT À S'ENFUIR DE LA PRISON DU FORT GARRY, MALGRÉ UNE CHEVILLE FOULÉE.

HHOUUU

PARMI LES PRISONNIERS AU FORT SE TROUVE THOMAS SCOTT.

< HÉ! CHIEN SALE! SORS-MOI D'ICI! >

IL TENTE UNE ÉVASION AVEC UN AUTRE PRISONNIER.

< TIENS LE GARDE, SCOTT! >

PAF!

OUF!

< HÉ, VOUS AUTRES, VENEZ NOUS AIDER!... >

< ...MAIS QU'EST-CE QUE VOUS ATTENDEZ, BANDE DE LÂCHES? >

< NON MERCI, SCOTT! >

MAIS LES AUTRES PRISONNIERS NE LE SUIVENT PAS.

SA TENTATIVE A ÉCHOUÉ, MAIS SCOTT NE CESSE DE SEMER LA ZIZANIE.

ENFIN, LE 3 MARS 1870...

< THOMAS SCOTT, VOUS ÊTES DEVANT CE TRIBUNAL, ACCUSÉ DE TRAHISON ET D'INSUBORDINATION. >

AMBROISE LÉPINE PRÉSIDE ET LOUIS RIEL TRADUIT POUR SCOTT.

< BANDE DE SAUVAGES, VOUS NE ME FAITES PAS PEUR! >

< MONSIEUR SCOTT, MALGRÉ QUE LE PRÉSIDENT RIEL A RECOMMANDÉ LA CLÉMENCE... >

< ... DEVANT CE CONSEIL VOUS FAITES FACE À UNE PEINE DE MORT! >

< VOUS N'OSEREZ JAMAIS M'EXÉCUTER! VOUS ÊTES TROP LÂCHES! >

PLUTÔT QUE LA PEINE DE MORT, IL ME SEMBLE QUE L'EXIL SUFFIRAIT.

< THOMAS, JE VOUS CONDUIS JUSQU'À LA FRONTIÈRE AMÉRICAINE, ET VOUS PROMETTEZ DE NE PLUS REVENIR... D'ACCORD? >

< HÉ HÉ! JE SERAIS DE RETOUR ICI AVANT TOI, LAGIMODIÈRE... >

< ... ET CETTE FOIS JE NE MANQUERAIS PAS DE TUER TON SOI-DISANT PRÉSIDENT RIEL! >

< ALORS, THOMAS SCOTT, C'EST MON DEVOIR DE VOUS INFORMER QUE LA MAJORITÉ DU CONSEIL A DÉCIDÉ PAR VOTE DE VOUS IMPOSER LA PEINE DE MORT... >

< DEMAIN, À MIDI, VOUS AUREZ À FAIRE FACE À UN PELOTON D'EXÉCUTION! >

L'ÉVÊQUE ALEXANDRE TACHÉ REVIENT ENFIN À LA RIVIÈRE-ROUGE...

LE 11 MARS 1870...

LOUIS, OTTAWA ATTEND NOS DÉLÉGUÉS POUR NÉGOCIER L'ENTRÉE DU NORD-OUEST DANS LA CONFÉDÉRATION CANADIENNE.

TRÈS BIEN... NOUS ENVERRONS TROIS DÉLÉGUÉS À OTTAWA.

ET L'AMNISTIE?

OUI, OUI... UN PARDON POUR TOUS CEUX PARTICIPANT À LA RÉSISTANCE...

... L'HONORABLE JOHN MACDONALD LUI-MÊME ME L'A PROMIS...

PAR ÉCRIT?

EUH... NON.

NON?

PAS ENCORE, MALHEUREUSEMENT!

RENDU EN ONTARIO, JOHN SCHULTZ EST REÇU COMME UN HÉROS. AVEC SES COMPLICES, IL SOULÈVE LES PASSIONS RACISTES DES ORANGISTES.

HANG RIEL! HANG RIEL!

< VENGEONS LA MORT DE NOTRE PAUVRE FRÈRE, THOMAS SCOTT! >

CES AGITATEURS INTERCEPTENT LES TROIS DÉLÉGUÉS DE LA RIVIÈRE-ROUGE, DONT L'ABBÉ NOËL-JOSEPH RITCHOT, EN ROUTE VERS OTTAWA. ILS SONT ARRÊTÉS ET EMPRISONNÉS, MAIS ENFIN LIBÉRÉS.

LES DÉLÉGUÉS SE RENDENT CHEZ LE PREMIER MINISTRE À OTTAWA...

FIN AVRIL 1870. L'ABBÉ RITCHOT, À LA TÊTE DE LA DÉLÉGATION, NÉGOCIE HABILEMENT.

CETTE NOUVELLE PROVINCE PORTERAIT LE NOM « MANITOBA ». EN LANGUE AUTOCHTONE, CELA SIGNIFIE « DIEU QUI PARLE ».

GEORGES-ÉTIENNE CARTIER, LIEUTENANT CANADIEN-FRANÇAIS DE MACDONALD, PARRAINE LE PROJET DE LOI, CRÉANT AINSI LA CINQUIÈME PROVINCE DU CANADA.

RIEL EST CHARGÉ DE VEILLER À LA BONNE GOUVERNANCE DE LA RIVIÈRE-ROUGE, EN ATTENDANT L'INSTAURATION DU NOUVEAU GOUVERNEMENT.

LE 12 MAI 1870, L'ACTE DU MANITOBA REÇOIT LA SANCTION ROYALE À OTTAWA.

LE 24 JUIN 1870, LE GOUVERNEMENT PROVISOIRE À LA RIVIÈRE-ROUGE ACCEPTE DE SE JOINDRE À LA CONFÉDÉRATION CANADIENNE À TITRE DE PROVINCE.

LE 15 JUILLET 1870, LA REINE VICTORIA EN GRANDE-BRETAGNE APPOSE LE SCEAU ROYAL À LA LOI : LE MANITOBA EST NÉ!

LA NOUVELLE PROVINCE PEUT ÉLIRE DES DÉPUTÉS AUX COMMUNES ET ÊTRE REPRÉSENTÉE AU SÉNAT.

UNE PROTECTION EST ACCORDÉE À LA LANGUE ET À L'ÉDUCATION FRANÇAISES.

LA FORCE INCLUT DANS SES RANGS 400 RÉGULIERS BRITANNIQUES ET DES MILICIENS, DONT LA MAJORITÉ PROVENANT DE L'ONTARIO VEUT VENGER LA MORT DE THOMAS SCOTT.

LÀ, ILS DOIVENT ACHEVER LA CONSTRUCTION DU CHEMIN DAWSON ET EFFECTUER DE NOMBREUX PORTAGES AFIN D'AVANCER EN TERRE SAUVAGE.

LES GUIDES MÉTIS S'INQUIÈTENT...

LES SOLDATS NE PARLENT QUE DE VENGER LA MORT DE SCOTT ET DE PENDRE RIEL!

LE PREMIER MINISTRE MACDONALD ENVOIE UN CORPS EXPÉDITIONNAIRE POUR ASSURER LA PRISE DE POSSESSION DU MANITOBA. 1 200 HOMMES, SOUS LE COMMANDEMENT DU COLONEL WOLSELEY, PARTENT DE TORONTO LE 21 MAI 1870 ET SE DIRIGENT VERS L'OUEST.

ILS AVANCENT EN TRAIN ET EN BATEAU JUSQU'À L'OUEST DU LAC SUPÉRIEUR.

IL FAUT AVERTIR LE PRÉSIDENT RIEL!

LOUIS, SELON NOS ÉCLAIREURS, LA « MISSION DE PAIX » DU COLONEL WOLSELEY SERAIT PLUTÔT UNE MISSION DE VENGEANCE!

NOS VIES SONT EN DANGER. IL FAUT QUITTER LE FORT GARRY!

D'ACCORD, AMBROISE. DÉJÀ, L'ÉVACUATION DU FORT EST PRESQUE COMPLÉTÉE...

IL FAUT ÉVITER UN AFFRONTEMENT DES DEUX GROUPES ARMÉS!

C-CRAK!

SAUVEZ-VOUS!

LA FORCE CANADIENNE ARRIVE! ON NE PARLE QUE DE VOUS MASSACRER!

RIEL ET SES COMPAGNONS QUITTENT LE FORT, CÔTÉ RIVIÈRE, LE LAISSANT EN BON ORDRE.

DE LOIN, RIEL OBSERVE L'ARRIVÉE DU CORPS EXPÉDITIONNAIRE...

SANS COUP DE FEU, SANS ÉCLAT, LES HOMMES DU COLONEL WOLSELEY PRENNENT POSSESSION DU FORT GARRY LE 24 AOUT 1870.

LE UNION JACK EST HISSÉ AU MÂT.

RIEL TRAVERSE LA RIVIÈRE ROUGE EN FUGITIF, POUR S'ENFUIR À SAINT-BONIFACE.

RIEL S'ARRÊTE CHEZ MONSEIGNEUR TACHÉ.

LOUIS! AVEZ-VOUS ABANDONNÉ LE FORT GARRY?!

LES HOMMES DE WOLSELEY L'ONT SAISI!

COMMENT? L'EXPÉDITION CANADIENNE! DÉJÀ?

IMPOSSIBLE! ON M'AVAIT PROMIS QUE LE LIEUTENANT-GOUVERNEUR ARRIVERAIT AVANT LES SOLDATS POUR MAINTENIR L'ORDRE!

POURTANT, LES SOLDATS SONT BIEN LÀ!

... ET ON CHERCHE À ME FAIRE PENDRE POUR L'EXÉCUTION DE THOMAS SCOTT!

SUREMENT QUE NON... L'AMNISTIE... ON PARDONNERA...

IL N'Y A PAS D'AMNISTIE!

MAIS SIR JOHN MACDONALD ME L'A PROMISE PERSONNELLEMENT!

EH BIEN, LE PREMIER MINISTRE NOUS A TRAHIS, ET JE DOIS ME SAUVER!

ADIEU!

AU FORT GARRY...

< MONSIEUR SMITH, JE ME SUIS PERMIS DE VOUS NOMMER LIEUTENANT-GOUVERNEUR PAR INTÉRIM. VOUS POUVEZ DONC SIGNER CE MANDAT D'ARRÊT CONTRE LE MEURTRIER RIEL. >

< OUI, BIEN SÛR, COLONEL WOLSELEY. >

< C'EST UN HOMME DANGEREUX, CE LOUIS RIEL... >

< ... LUI ET SES DEUX LIEUTENANTS, AMBROISE LÉPINE ET WILLIAM O'DONOGHUE. >

< VOILÀ! VOUS AVEZ VOS ORDRES! ALLEZ CHERCHER CES TROIS REBELLES! >

< MERCI, EXCELLENCE! RIEL PENDRA DE L'ARBRE LE PLUS HAUT! >

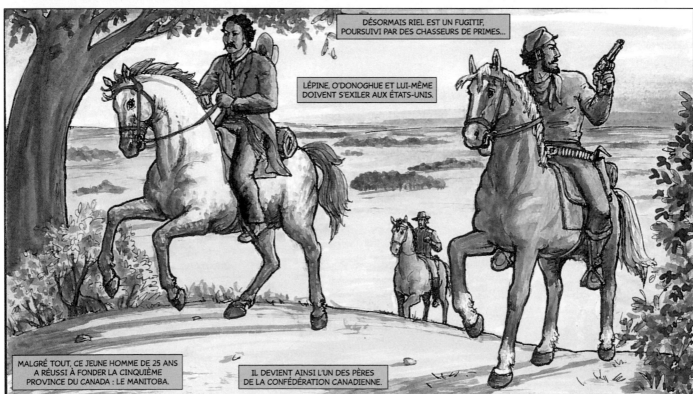

DÉSORMAIS RIEL EST UN FUGITIF, POURSUIVI PAR DES CHASSEURS DE PRIMES...

LÉPINE, O'DONOGHUE ET LUI-MÊME DOIVENT S'EXILER AUX ÉTATS-UNIS.

MALGRÉ TOUT, CE JEUNE HOMME DE 25 ANS A RÉUSSI À FONDER LA CINQUIÈME PROVINCE DU CANADA : LE MANITOBA.

IL DEVIENT AINSI L'UN DES PÈRES DE LA CONFÉDÉRATION CANADIENNE.

LE 13 SEPTEMBRE 1870, AU VILLAGE DE WINNIPEG, DANS LA NOUVELLE PROVINCE DU MANITOBA...

< HÉ! C'EST LUI! GOULET (hic!), ELZÉAR GOULET! >

HEIN?

< CE SALE MÉTIS A SIÉGÉ AU TRIBUNAL QUI A CONDAMNÉ THOMAS SCOTT! >

LES MILICIENS INDISCIPLINÉS SOUS LE COLONEL WOLSELEY ET LES ORANGISTES SÈMENT LA TERREUR À LA RIVIÈRE-ROUGE.

DES DROITS QUI ONT ÉTÉ NÉGOCIÉS AVEC LE GOUVERNEMENT CANADIEN NE SONT PAS RESPECTÉS.

< ATTRAPEZ-LE! >

SI SEULEMENT JE PEUX ME RENDRE À SAINT-BONIFACE DE L'AUTRE CÔTÉ DE LA RIVIÈRE!

< IL MÉRITE UNE BONNE RACLÉE! >

SPLATCH!

TOC!

< SAUVAGE! REVIENS ICI! >

GLOU-GLOU

< HA! VOILÀ! UN MÉTIS DE MOINS! >

< BON DÉBARRAS! >

< LE FRÈRE SCHULTZ SERA FIER DE NOUS! >

< PARTONS D'ICI! >

DES MÉTIS SONT POURCHASSÉS, VIOLÉS, BATTUS ET TUÉS AVEC IMPUNITÉ.

MAI 1871, RIEL REVIENT DISCRÈTEMENT À LA RIVIÈRE-ROUGE.

JE SUPPORTE MAL L'EXIL AUX ÉTATS-UNIS, AMBROISE!

ÇA ME FERA DU BIEN DE REVOIR LA FAMILLE AUX NOCES DE MA SŒUR!

LOUIS, MÊME SI LES CHOSES SE SONT CALMÉES ICI AU MANITOBA DEPUIS L'AN DERNIER, NOUS DEVONS RESTER EXTRÊMEMENT VIGILANTS!

D'ACCORD... DES ASSASSINS ET DES CHASSEURS DE PRIMES PARTOUT!...

CHEZ MADAME JULIE RIEL À SAINT-VITAL...

CHÈRE MAMAN, QUELLE JOIE DE REVOIR TOUTE LA FAMILLE!

NOUS PRIONS POUR TOI TOUS LES SOIRS, LOUIS!

Ô MON CHER LOUIS, QUE DIEU TE PROTÈGE DE TES ENNEMIS! SCHULTZ ET COMPAGNIE NE CESSENT DE PARLER DE VENGER L'EXÉCUTION DE THOMAS SCOTT!

TOUJOURS AUX ÉTATS-UNIS, O'DONOGHUE ORGANISE, AVEC QUELQUES FENIANS, UNE PETITE FORCE D'INVASION D'UNE QUARANTAINE D'INSURGÉS.

< ALLEZ, LES HOMMES! >

< LE FORT PEMBINA EST À NOUS! >

CET ANCIEN LIEUTENANT DE RIEL, UN ANNEXIONNISTE AMÉRICAIN, CROIT QUE LES MÉTIS, TRAHIS PAR LE GOUVERNEMENT CANADIEN, SE JOINDRONT À LA RÉVOLTE.

ILS MONTENT AU MANITOBA LE 5 OCTOBRE 1871.

MAIS, À SAINT-BONIFACE, CHEZ MGR TACHÉ...

LOUIS, LE NOUVEAU LIEUTENANT-GOUVERNEUR ARCHIBALD ME DEMANDE SI VOUS POURRIEZ ORGANISER UNE FORCE DE CAVALIERS MÉTIS POUR DÉFENDRE LE MANITOBA CONTRE UNE INVASION FÉNIANE DES ÉTATS-UNIS.

MAIS JE DOIS RESTER CACHÉ! ON ME CHASSE COMME DU GIBIER!

SON EXCELLENCE A DÉCLARÉ QUE VOUS N'AURIEZ PAS À CRAINDRE POUR VOTRE LIBERTÉ ET QUE VOTRE COLLABORATION AIDERAIT LA CAUSE MÉTISSE...

... CE QUI SOUS-ENTEND UNE AMNISTIE INÉVITABLE.

D'ACCORD, JE LE FERAI! LES MÉTIS SONT DE LOYAUX CITOYENS CANADIENS ET ILS SONT PRÊTS À DÉFENDRE LEUR PAYS.

LE 8 OCTOBRE 1871, DEVANT LA CATHÉDRALE DE SAINT-BONIFACE. RIEL ET LE LIEUTENANT-GOUVERNEUR ARCHIBALD PASSENT EN REVUE LES TROUPES.

< CETTE ARMÉE DE 500 CAVALIERS MÉTIS QUE VOUS AVEZ RASSEMBLÉE EST FORMIDABLE! LE MANITOBA N'A RIEN À CRAINDRE AVEC DE TELS GUERRIERS VENUS À SA DÉFENSE! >

< MONSIEUR RIEL, MONSIEUR LÉPINE, GRÂCE À VOUS, LA PROVINCE EST PROTÉGÉE CONTRE LES ENVAHISSEURS FÉNIANS! >

< NOUS ENVERRONS TOUT DE SUITE À LA FRONTIÈRE UN DÉTACHEMENT D'ÉCLAIREURS EN RECONNAISSANCE. >

< AU NOM DE SA MAJESTÉ LA REINE, JE VOUS REMERCIE DE VOTRE LOYAUTÉ ET DE VOTRE BRAVOURE. >

MAIS DÉJÀ, LE 5 OCTOBRE 1871, DE SON PROPRE CHEF, LA U.S. CAVALRY TRAVERSE LA FRONTIÈRE CANADIENNE POUR ALLER REPÊCHER LES FENIANS AMÉRICAINS AU FORT PEMBINA, ET LES FAIRE PRISONNIERS.

TATARAA

L'INVASION FÉNIANE A ÉCHOUÉ.

LES MÉTIS ONT FAIT PREUVE DE LOYAUTÉ ENVERS LA REINE.

MAIS À OTTAWA...

< MONSIEUR LE PREMIER MINISTRE MACDONALD, QU'EN EST-IL DE L'AMNISTIE QUE VOUS M'AVEZ PROMISE POUR RIEL? >

< MONSEIGNEUR TACHÉ, VOUS CONNAISSEZ MON DILEMME... L'ONTARIO VEUT PENDRE RIEL. LE QUÉBEC LE GLORIFIE! LE GOUVERNEMENT DOIT PLAIRE AUX DEUX... QUE FAIRE? >

< LA RÉUSSITE DE LA CONFÉDÉRATION CANADIENNE DOIT ÊTRE MA PRIORITÉ ABSOLUE. >

< CROYEZ-VOUS POUVOIR CONVAINCRE RIEL ET LÉPINE DE QUITTER LE PAYS POUR QUE LES ESPRITS SE CALMENT? SI ON LEUR OFFRAIT MILLE DOLLARS... SUR 12 MOIS, POUR LEURS DÉPENSES, ILS POURRAIENT RETOURNER AUX ÉTATS-UNIS ET Y RESTER UN PEU... >

LE 8 DÉCEMBRE 1871, CHEZ LES RIEL À SAINT-VITAL...

BOUM! BOUM!

< OUVREZ LA PORTE! >

MON DIEU!

C-CRAC

< OÙ EST LOUIS RIEL? >

< IL VA LA PAYER, LA MORT DE THOMAS SCOTT! (hic!) >

N-NON!

< ÉCOUTEZ, MA P'TITE MADAME RIEL... (hic!) NOUS AVONS UN MANDAT D'ARRÊT! VOUS ALLEZ NOUS DIRE OÙ EST CE MEURTRIER, COMPRIS? >

< NOUS SAVONS QU'IL RESTE ICI! OÙ EST-IL? >

J-JE... JE...

< MAIS, PARLEZ! >

< AH! (hic!) J'AI UNE IDÉE! >

CLIC!

< MADAME, SI VOUS AIMEZ VOTRE FILLE, VOUS ALLEZ ME DIRE OÙ SE CACHE VOTRE FILS, OU... >

N-NON! S'IL VOUS PLAIT!...

MAMAN, NE LUI DITES RIEN!

< BAH! ALLONS-Y, GEORGE! RIEL NE SE CACHE PAS ICI! (hic!) ET LA VIEILLE VEUVE EST INUTILE! >

< HEIN? >

Ô JÉSUS, MARIE, JOSEPH! SAUVEZ-NOUS!

UN PEU PLUS TARD...

MÈRE, JE REVIENS DE...

MAMAN! MARIE! QU'EST-CE QUI VOUS EST ARRIVÉ?

RIEL CONSTATE QUE DÉSORMAIS SA PRÉSENCE À LA RIVIÈRE-ROUGE REPRÉSENTE UN DANGER POUR SA FAMILLE.

JE DOIS PARTIR...

JE M'EXILERAI ENCORE AUX ÉTATS-UNIS PENDANT QUELQUE TEMPS...

WANTED

DEAD or ALIVE LOUIS RIEL

$5 000.00 REWARD

ENTRETEMPS, LE GOUVERNEMENT DE L'ONTARIO OFFRE UNE SOMME COLOSSALE POUR LA CAPTURE DE RIEL.

AINSI, MÊME AUX ÉTATS-UNIS, DE NOMBREUX CHASSEURS DE PRIMES TRAQUENT LOUIS RIEL ET SON AMI, AMBROISE LÉPINE.

UN SOIR, DANS L'HÔTEL D'UN PETIT VILLAGE AU MINNESOTA...

LOUIS!... LOUIS!

QU'EST-CE QU'IL Y A, AMBROISE?

DEUX HOMMES SUSPECTS DANS LA RUE...

ILS SONT ARMÉS... ET ILS FIXENT NOTRE FENÊTRE...

TASSE-TOI!

DES ASSASSINS, J'EN SUIS SÛR!

CE SONT LES ASSASSINS ENGAGÉS PAR SCHULTZ! ILS ATTENDENT QUE NOUS SORTIONS DE L'HÔTEL POUR NOUS ABATTRE!

PAR LA PORTE DE DERRIÈRE...

CATACLOP!

CATACLOP!

‹ HÉ! RIEL ET LÉPINE SE SAUVENT! ›

RIEL SE RÉFUGIE À SAINT-PAUL ET À SAINT-JOSEPH, JUSTE AU SUD DE LA FRONTIÈRE MANITOBAINE. AMBROISE LÉPINE TENTE SA CHANCE EN RENTRANT CHEZ LUI AU MANITOBA.

DE NOMBREUX CORRESPONDANTS PRIENT RIEL DE SE PRÉSENTER COMME CANDIDAT DANS LE COMTÉ DE PROVENCHER, AUX PREMIÈRES ÉLECTIONS FÉDÉRALES AU MANITOBA.

IL DÉCIDE DE SE LANCER ET RENTRE AU MANITOBA. IL A 27 ANS.

MALGRÉ L'INTRIGUE QUE L'ON TRAME CONTRE LUI, RIEL FAIT CAMPAGNE DANS PROVENCHER.

IL REMPORTE AISÉMENT L'INVESTITURE DU PARTI CONSERVATEUR.

GEORGES-ÉTIENNE CARTIER, LUI, PERD SON SIÈGE AU QUÉBEC. LES ÉLECTIONS AU MANITOBA SONT TENUES PLUS TARD.

ET BIENTÔT, CHEZ MONSEIGNEUR TACHÉ...

L'HON. MACDONALD SE DEMANDAIT SI VOUS POURRIEZ CÉDER À CARTIER VOTRE INVESTITURE DANS LE COMTÉ DE PROVENCHER.

HUM... M. CARTIER EST UN CHAMPION DES DROITS DES MÉTIS. IL SAURA NOUS REPRÉSENTER ET NOUS DÉFENDRE À OTTAWA.

BON. D'ACCORD!

AINSI, SIR GEORGES-ÉTIENNE CARTIER DEVIENT LE PREMIER DÉPUTÉ ÉLU DANS LE COMTÉ DE PROVENCHER AU MANITOBA.

REQUIEM AETERNAM DONA EIS, DOMINE...

CEPENDANT, QUELQUES MOIS PLUS TARD, LE 20 MARS 1873, CARTIER MEURT EN ANGLETERRE DES SUITES D'UNE MALADIE.

UNE ÉLECTION PARTIELLE DANS PROVENCHER EST DONC DÉCLENCHÉE.

RIEL REPART EN CAMPAGNE ÉLECTORALE. MAIS BIENTÔT, À WINNIPEG, DES ORANGISTES DÉLIVRENT UN MANDAT D'ARRÊT CONTRE LUI POUR SON RÔLE PRÉSUMÉ DANS L'EXÉCUTION DE THOMAS SCOTT.

LA POLICE FOUILLE LES DEMEURES DE SES PROCHES, SANS LE TROUVER.

PENDANT 45 JOURS, RIEL MÈNE SA CAMPAGNE, TOUT EN RESTANT CACHÉ DANS LE BOIS SAUVAGE PRÈS DE SAINT-NORBERT.

TIENS, MON AMI JOSEPH DUBUC QUI M'ÉCRIT...

IL ME SOUHAITE BON COURAGE...

... ET DIT QUE MON ÉPREUVE LUI RAPPELLE CELLE DU ROI DAVID DANS LA BIBLE, QUAND CELUI-CI DEVAIT SE CACHER DE SES ENNEMIS DANS UNE CAVERNE...

HUM...

OUI... LOUIS « DAVID » RIEL...

LE 13 OCTOBRE 1873, RIEL EST ÉLU PAR ACCLAMATION DÉPUTÉ DE PROVENCHER.

PENDANT DEUX ANS, IL EST CONSIGNÉ, SOUS UN PSEUDONYME, DANS UN ASILE MISÉRABLE À QUÉBEC.

AAAAH!

JE SUIS DAVID, PROPHÈTE DU NOUVEAU MONDE!

REPOUSSÉ, EXILÉ, TRAHI, CIBLÉ, DIABOLISÉ, POURSUIVI, RIEL SUBIT UN STRESS CONTINU.

SA SANTÉ DÉCLINE.

EN DÉCEMBRE 1875, DANS L'ÉTAT DE NEW YORK, IL FAIT UNE DÉPRESSION NERVEUSE. UNE POSSIBLE ENCÉPHALITE ACCENTUE SON ÉTAT EXCITÉ ET DÉSILLUSIONNÉ.

ENFIN, LE 29 JANVIER 1878...

M. RIEL, LE BON DOCTEUR VOUS A DÉCLARÉ GUÉRI.

VOUS ÊTES LIBRE DE PARTIR.

TOUJOURS EXILÉ DU CANADA, RIEL SE REND AUX ÉTATS-UNIS.

À KEESEVILLE, N.Y., IL RENCONTRE LA BELLE EVELINA BARNABÉ.

L'AMOUR EST AU RENDEZ-VOUS, AU TEMPS DES LILAS.

ILS SE FIANCENT, MAIS...

JE T'AIME.

Ô LOUIS... NE ME QUITTE PAS!

CHÉRIE, TU SAIS QUE JE DOIS RETOURNER DANS L'OUEST...

MAIS QUAND JE SERAI PLUS EN MOYENS, JE REVIENDRAI T'ÉPOUSER.

ADIEU, MA DOUCE EVELINA!

BIENTÔT...

QUELLE JOIE DE RETROUVER LES GRANDES PLAINES DE L'OUEST!

MAIS, EXILÉ DU CANADA, JE DOIS RESTER AU SUD DES LIGNES AMÉRICAINES.

LE SOUVENIR D'EVELINA S'ESTOMPE GRADUELLEMENT...

LOUIS RIEL DEVIENT CITOYEN AMÉRICAIN EN 1880. IL SE JOINT À UNE BANDE NOMADE DE CHASSEURS MÉTIS AU MONTANA, ET DEVIENT LEUR CHEF. IL PRATIQUE LE COMMERCE DES FOURRURES.

RIEL ASSISTE À QUELQUES-UNES DES DERNIÈRES GRANDES CHASSES AU BISON. CETTE BÊTE MYTHIQUE DISPARAIT RAPIDEMENT.

IL DEVIENT INTERPRÈTE ET DIPLOMATE. COMME AU MANITOBA, RIEL INTERCÈDE POUR LES MÉTIS AUPRÈS DES AUTORITÉS AMÉRICAINES.

LOUIS TOMBE AMOUREUX D'UNE JEUNE MÉTISSE...

EGO CONJUNGO VOS IN MATRIMONIUM.

EN 1883, IL EST ENSEIGNANT À L'ÉCOLE DE LA MISSION ST-PIERRE AU MONTANA.

À LA SANTÉ DE VOTRE FILLE, LA JOLIE MARGUERITE MONET, DONT JE PROMETS D'ÊTRE FIDÈLE ÉPOUX.

ET LE 12 MARS 1882, L'HEUREUX COUPLE S'AVANCE VERS L'AUTEL.

IL EST PÈRE D'UN GARÇON ET D'UNE FILLE.

ÉTÉ 1884.

AU VILLAGE ARRIVENT QUATRE HOMMES, L'AIR DÉTERMINÉ, CONDUITS PAR « LE PRINCE DES PRAIRIES », GABRIEL DUMONT.

ILS VIENNENT RECRUTER LOUIS RIEL POUR AIDER LES MÉTIS DE LA SASKATCHEWAN À REVENDIQUER LEURS DROITS AUPRÈS DU GOUVERNEMENT CANADIEN.

C'EST DIMANCHE... IL DOIT ÊTRE ICI À LA MESSE... AH! LE VOILÀ!

SEIGNEUR, GUIDEZ-MOI...

LOUIS RIEL?

EUH... OUI.

SUIVEZ-MOI!

RIEL PART AVEC DUMONT...

... ET ENTRE DANS UNE AVENTURE QUI SECOUERA LES FONDEMENTS MÊMES DE LA CONFÉDÉRATION CANADIENNE.

FIN DU PREMIER TOME. À SUIVRE...

R. FREYNET

BIBLIOGRAPHIE

ANDERSON, Frank W. *The Riel Rebellion 1885*, Calgary, Frontier Publishing, 1963.

ASFAR, Dan, et CHODAN, Tim. *Louis Riel*, Edmonton, Folklore Publishing, 2003.

BUMSTED, J. M. « Crisis at Red River », *The Beaver*, vol. 75, n° 3 (juin-juillet 1995), p. 23-34.

BUMSTED, J. M. « Revisiting Riel's Conviction », *The Beaver*, vol. 82, n° 3 (juin-juillet 2002), p. 6-7.

BURTON, Pierre. *The Great Railway Illustrated*, Toronto, McClelland & Stewart, 1972.

CANADA. APPROVISIONNEMENTS ET SERVICES. *Parc historique national Batoche National Historic Park*, Ottawa, le Ministère, 1986, 16 p.

CHARLEBOIS, Peter. *The Life of Louis Riel in Pictures*, Toronto, New Canada Publications, 1978.

CHODAN, Tim, et Dan ASFAR. *Gabriel Dumont: War Leader of the Métis*, Edmonton, Folklore Publishing, 2003.

DAVIES, Colin. *Louis Riel et la nouvelle nation*, coll. Bâtisseurs du Canada, traduit par Réjeanne Bissonnette, Agincourt, Société canadienne du livre, 1981.

DE TRÉMAUDAN, Auguste-Henri. *Histoire de la nation métisse dans l'Ouest canadien*, Saint-Boniface, Éditions du Blé, 1979.

DUMONT, Gabriel. *Gabriel Dumont : mémoires : les Mémoires dictés par Gabriel Dumont et le Récit Gabriel Dumont*, textes établis et annotés par Denis Combet, Saint-Boniface, Éditions du Blé, 2006.

GUILLET, Edwin C. *You'll Never Die, John A!*, Toronto, MacMillan of Canada, 1967.

HOWARD, Joseph. *Strange Empire: Louis Riel and the Métis People*, Toronto, J. Lewis and Samuel, 1974.

KING, Dennis. *Les Soeurs grises et la colonie de la rivière Rouge*, coll. Bâtisseurs du Canada, traduit par Sylvie Léger, Agincourt, Société canadienne du livre, 1983.

MANITOBA. CULTURE, PATRIMOINE ET CITOYENNETÉ. Brochure d'interprétation « La Colonie de la Rivière Rouge / The Red River Settlement », Direction des ressources historiques, Winnipeg, 1994.

MANITOBA. CULTURE, PATRIMOINE ET LOISIRS. *Ambroise-Didyme Lépine*, Direction des ressources historiques, Winnipeg, 1985, 12 p.

MANITOBA. CULTURAL AFFAIRS AND HISTORICAL RESOURCES. *Major Charles Arkoll Boulton,* Historic Resources Branch, Winnipeg, 1981.

MANITOBA CULTURAL AFFAIRS AND HISTORICAL RESOURCES. *The Nor'-Wester*, Historic Resources Branch, Winnipeg, 1981, 12 p.

MANITOBA. CULTURE, HERITAGE AND RECREATION. *Pierre Falcon,* Historic Resources Branch, Winnipeg, 1984.

MARCOTTE, Gilles. « Le retour de Louis Riel », *L'actualité*, 15 septembre 1997, p. 125-126.

Catalogue d'exposition « Une nation, un leader, de la naissance au gibet », Saint-Boniface, Société historique de Saint-Boniface et Collège universitaire de Saint-Boniface, 1985.

PHILLIPS, R., et S. J. KIRBY. *Small Arms of the Mounted Police*, Museum Restoration Service, Ottawa, 1965.

RIEL, Louis "David". *Poésies religieuses et politiques*, Saint-Boniface, Éditions des Plaines, 1979.

RUSSELL, Frances. *The Canadian Crucible: Manitoba's Role in Canada's Great Divide*, Winnipeg, Heartland Associates, 2003.

SIGGINS, Maggie. *Riel: A Life of Revolution*, Toronto, HarperCollins Publishers, 1994.

WOODCOCK, George. *Gabriel Dumont*, Edmonton, Hurtig Publishers, 1975.

16598558R00024

Made in the USA
Middletown, DE
24 November 2018